Pour Treeske. Bonne lecture !
— R.S.

Titre original : *Splat the Cat and the Late Library Book*
© 2016 by Rob Scotton
Couverture : Rick Farley · Texte : Cari Meister
Illustrations intérieures : Robert Eberz
Publié avec l'accord de HarperCollins Children's Books.

Édition française © 2017 Éditions Nathan, Sejer, 25 avenue Pierre-de-Coubertin, 75013 Paris.
ISBN : 978-2-09-257545-1
Loi n° 49-956 du 16 juillet 1949 sur les publications destinées à la jeunesse,
modifiée par la loi n° 2011-525 du 17 mai 2011.
N° éditeur : 10230818 – Dépôt légal : juin 2017
Achevé d'imprimer en mai 2017 par Pollina (85400 Luçon, Vendée, France) - L80828

Splat
La grosse bêtise

D'après le personnage de Rob Scotton

Splat a beaucoup d'affaires qu'il n'utilise plus.
– Il est temps de faire
le tri dans tes placards,
dit sa maman.
Nous allons donner tout
ce dont tu ne te sers plus
à des enfants qui en ont besoin.

Splat trouve que c'est une super idée...
mais il a un peu peur d'ouvrir la porte
du placard.

Parce qu'à chaque fois...
BADABOUM !

Quand tout est par terre, Splat trie
dans ses affaires.

Splat essaie un vieux tee-shirt.

– Je crois qu'il est trop petit, dit Harry Souris.

Soudain, Splat s'écrie :

– Oh non ! Un livre de la bibliothèque !

Et je devais le rendre il y a très, très longtemps !

Le papa de Splat vient le voir.
– Bravo ! s'exclame-t-il. Les vêtements iront
à une association, les jouets à l'hôpital
pour enfants et les livres à la bibliothèque.

– Non, pas la bibliothèque ! crie Splat.

– Pourquoi pas ? demande son papa, surpris.
La bibliothécaire organise une grande collecte
de livres pour remplacer ceux que les gens
ont empruntés sans jamais les rapporter.

« Oh, non ! J'ai fait une énorme bêtise ! »
s'inquiète Splat.
Sa queue s'agite furieusement.

« L'amende de retard va être gigantissime !
Qu'est-ce qu'il va m'arriver ? Va-t-on me jeter
en prison ? »

« Va-t-on me faire marcher sur la planche ? »

– Peut-être que j'ai assez d'argent
pour payer l'amende,
déclare Splat à Harry Souris.
Il attrape sa tirelire et la secoue très fort.

Mais Splat n'a qu'une pièce
de vingt-cinq centimes.

Il est l'heure de partir.
Splat et ses parents vont d'abord à l'association.
Splat aide ses parents à porter les cartons, mais...
BOUM !

Ensuite, Splat et ses parents vont à l'hôpital.
Les enfants malades sont ravis de leurs
nouveaux jouets !

Enfin, il est temps d'apporter les livres
à la bibliothèque.

Splat a très peur.

La bibliothécaire, Mme Sardine, accueille
Splat et ses parents. Elle regarde leur pile
de livres et se réjouit :
— Merci pour ce joli don, Splat ! Ç'a dû être
difficile pour toi de te séparer de tes livres,
continue-t-elle. Je déteste donner les miens,
même si je ne les ai pas lus depuis longtemps.
Splat commence à transpirer d'inquiétude.

— Dans ma maison, les livres remplissent
une pièce entière, dit Mme Sardine en souriant.
Je devrais sûrement en donner, moi aussi.
C'est plus que le petit chat ne peut en
supporter.

– J'AVOUE TOUT, pleure Splat. Je ne voulais
pas le rendre, ce livre, alors je l'ai caché.
Je l'ai oublié et maintenant, j'ai un million
d'années de retard. Je suis vraiment désolé !
Si vous voulez m'envoyer en prison ou me
jeter aux requins, très bien. Je l'ai mérité !

– Hum, Splat, dit Mme Sardine. Tu as seulement
une semaine de retard. L'amende n'est que
de vingt-cinq centimes.
– Ah bon ? dit Splat.
Il sort sa pièce de sa poche.

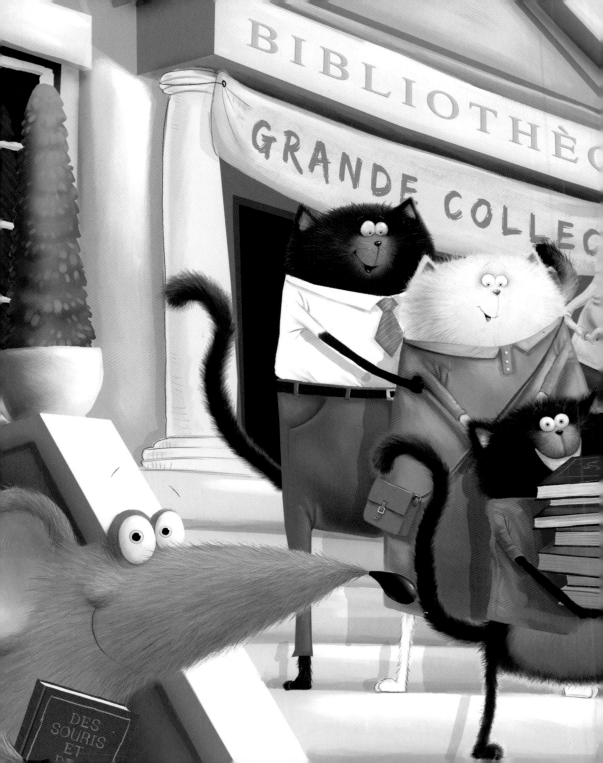

– Garde ta pièce,
ajoute Mme Sardine en souriant.
Ça ira pour cette fois.
Tu as donné tellement de livres
à la bibliothèque aujourd'hui !

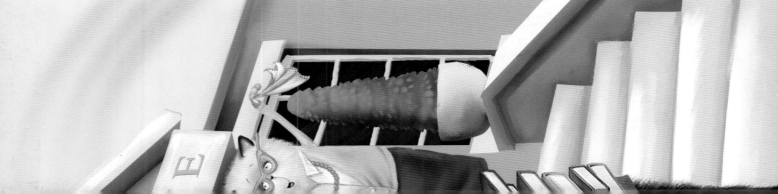